U0152740

南师所讲

呼吸法門精要

刘雨虹　汇编

上海書店出版社
SHANGHAI BOOKSTORE PUBLISHING HOUSE

南怀瑾先生与刘雨虹老师在一起校对书稿

编者的话

这本小书的出版，颇有些特殊的因缘背景。

首先是南师怀瑾先生，在宣导文化说法五六十年的经历中，深感几世纪来，由于修持方面的障碍和问题，造成行者难以如法，故而修持的人能成功者极为罕见。

南师一生致力于各教派的实证和研究，认为释迦佛所传最快捷修行的两大法门，未获真确明了，实为行者难以成功的主要原因。

为此之故，近数年来，南师于讲课时，常常涉及《达摩禅经》中之十六特胜安那般那法门的解说。

二〇〇七年二月春节讲课期间，南师在教授十六特胜并督导同学修持之时，某日，忽然指示编者，将其散见各书及讲记中之安那般那修法，加以收集整理，并汇编成册，以方便学习者修持之参用。这本书就因而产生了。

关于安般法门，除经典中有扼要的提出外，千余年来，多有大师将个人修法成就，系统辑集成论，其中以六妙门三止三观最被称道。

学佛修法，其方式，其制度，在时空

不同，对象有异的状况下，不免形成改变，也是势所必然。昔日就有百丈禅师创建丛林制度，大改印度规律，当时曾遭严苛之抨击，而佛法却因之发扬光大。

一般认为，"经、律、论"三者，论著属个人心得经验见解之说，故能承受讨论或批评；甚至戒"律"部分，除根本性戒外，亦可因时因地重新讨论或修订。

有人说，在了解一种新的修行方法论述时，先需查究是何人所说，何时所说；如果是学者或义理师所讲，可列入佛学中作为学术参考。

如果言说者是实际修持求证有成的行者，那就要慎重的对待了。

但是，无论如何，修行是有因缘因素

的；如对传法的人，或对所传的方法有所疑虑；或认为与经典及古贤所说未能完全契合，则可有几项选择：其一是自己修证，届时圆满自明；其一是改投其他有修有证的大师学习。故而不必斤斤于微末细节。永嘉大师曾说，"大象不游于兔径，大悟不拘于小节"。

在这本书中，南师评论了一些修行方法，不管是正说，是反说，读者定有智慧去深入，去体会。希望这本小书能对修学者提供助益和方便，为祷为盼。

又，本书原稿及编者的话，在二○○八年已经南师审阅无误。

刘雨虹　记

二○一三年四月　庙港

再版前言

一本印了两万册的小书，出版后竟然立即进入畅销排行第四名，实在令人吃惊，更令人高兴。

我说的高兴，不是为了名利，而是为了一个想法，现在证明这个想法没有错，所以高兴。

在编这本小书的时候，也曾费了不少

心思，因为现在是人人手机的时代，当看
到一本厚重的大书时，必有望而生畏的感
觉。尤其是一本需要翻来翻去，看一遍又
一遍的书，如果太厚重的话，看了半天还
抓不到中心重点，结果多半有始无终，最
后置诸于高阁了事。

　　关于南师怀瑾先生呼吸法门的讲解，
散见于很多书中，数据很多，取舍颇费思
量。在编写之初，南师虽未明讲以多少字
为原则，但猜测在一般人的心目中，至少
应有十万字左右，才算是一本书吧！

　　可是我考虑再三，决定编成半数不到
的文字，所以只能算是一本小册子。

　　虽然有人认为，字数太少没有分量，

无人注意，但我的想法是，文字简短明了，就容易了解，容易掌握重点，容易产生兴趣。所以最后编成了一本入门的小书。

更何况，买一本小书花费有限，买起来方便，看起来方便，想了解也方便，这本小书自然就会普及流通了。

古人说："山不在高，有仙则灵"；这本小书是："书不在厚，有益则大"。这不是吹牛，因为，有好几个读者，他们呼吸之气的障碍，都由此书而畅然若失了。多么令人欣慰啊！

呼吸之气，是生命存在的基本；而身心修养的初步，更离不开呼吸之气。所以注意这个问题，就是走上健康之路的第一步了。

　　现趁此书再版之际，祝愿众生，少病少恼，进而国泰民安，人人健康，人人长寿，人人幸福。

刘雨虹

二〇一三年十一月

目　录

第一节　容易成功的法门

佛法是什么

释迦教的长寿法门

修行道地经的故事

消息　出入息

佛法是什么

我们这一次开始，是从佛法入手，不是佛学，也不是佛教。你们看我的书，有一个观念要搞清楚，我经常把这三个分得很清楚。第一个是佛教。佛教是宗教，它有它宗教的形式，有它宗教的习惯，有它宗教的行为；譬如出家、盖庙子、化缘、做法事，都属于佛教的范围。尤其佛教到中国来，建立了中国特色的佛教，中国丛林制度的佛教究竟如何，你们应该要懂，可是现在很少有人懂。

第二个是佛学。一般人研究佛经，乃至东南亚小乘的国家，以及其他注重小乘的国家，如日本，乃至韩国、泰国、越南，乃至中国；还有大学问家，研究哲学的，研究佛学的，都是属于佛学的范围，是讲理论的。佛学家都很有学问，讲起来头头是道。在我呢？从小到现在只有几个字，就是古文一句话"在所不取"也。大家听懂这一句古文吧？对于这些，我是理都不理，因为我也很傲慢，讲学问太容易了，在所不取也，我看不起；不是看不起，是不注重这一面。世界上学问多得很啊！如果真讲佛学我也会，还可以比大家细密一点；但是我不注重，不向这一面走。你佛学再好，我也不理会。

第三是佛法。所以我是要学佛法的，要学习怎么样成佛，怎么样得道，至少打坐坐起来怎么入定，这就不只是学理的问题了。因为佛法像学科学一样，一个人如果要发明，要做一个科学家，光谈科学的理论是不够的；得个博士学位不过教书而已嘛！所以我不讲佛学。但是你们讲的佛学我还看不上，你们一讲，我认为都错，我要告诉人的是佛法。我一生走的路线是研究佛修行的方法，因为那是解决人的生死问题。

学佛法要提问题，要怀疑的，要求证的。如果听了就相信，那是宗教，不是佛法。佛法是科学的，要追问的，追问这个问题的究竟，并且要亲自试验求证。

释迦教的长寿法门

释迦牟尼佛的教导，有两个法门最重要，一个是安那般那出入息；一个是不净观白骨观。现在南传的小乘佛教，统统修这两个法门。南传的小乘佛教是不承认大乘的，更反对什么密宗啊，禅宗啊，华严啊，天台啊，净土啊，都反对，认为那都是后期的佛学。我当年在台湾讲学理的时候，先拿小乘来讲；现在在座的吴同学还记得当年讲课的时候，整个师范大学礼堂内外站满了人，那时是刚刚开创。我做的事向来都是"平地起风雷"，同庙港现在一样，一块荒地把它搞起来。

释迦牟尼教你修持走呼吸的路线，安那般那就是一呼一吸。所以我在《如何修证佛法》上面提到过，你们没有注意啊，释迦牟尼佛吩咐四个弟子永远活在这个世界上；当然我们没有见到，是据说。我也

相信这四个人真的活着；一个是迦叶尊者，
禅宗的第一位祖师，第二个是佛的儿子罗
睺罗，第三个是君屠钵叹，第四个是宾头
卢尊者。此人原是印度一位宰相的儿子，
因为他现了神通，犯了佛的规矩，佛就骂
他：叫你不要现神通，罚你留形住世，不
准死。所以长寿是留在这个世界上受罪的
啊。这四位，在佛法中是特别明显的，称
为留形住世的尊者。

我常常提醒大家注意，他们四位是用什么方法得以留形住世呢？就是修安那般那，就是呼吸法门。我的研究对与不对，你们去求证吧。

回过来看《大藏经》，你们当然没有全部研究过。佛自己在雪山修苦行六年，几乎不吃东西，六年哦！他当时只有二十几岁。所谓的雪山就是喜马拉雅山，他是尼泊尔人，到北部就是喜马拉雅山的锡金、不丹这一带的地方。他就是在那个山脚下最冷的地方修苦行。六年来每天等于只吃一颗青枣，像我们北方青的红枣一样，二三十岁就变成七八十岁的老头子一样，枯瘦如柴，比我现在当然还要瘦，只有皮包骨了。

他六年的苦行求证，在律藏里头讲到过，他是反对修呼吸法的；他说那时候修气功，因为不吃饭，只靠吃气，修这个法门的时候，头痛得很，痛苦极了，头要裂开了，所以他叫弟子们不要修这个法门。为什么后来又叫弟子们修安那般那呢？这是个问题吧？而且在另外一部戒律上也讲到，佛出来说法几十年以后，曾闭关两个月，出关后弟子们问他在关房里修什么，他说修安那般那。又是呼吸法！好奇怪啊，他一边叫大家不要修呼吸法，修得很痛苦，一边自己还在修这个；有时休息也修这个。所以我看《大藏经》和你们不同吧！我注意的是修持这一方面。

我们同佛出家一样，追求的是了生死，这是生命的问题啊，不是光吹牛谈学理的。

修行道地经的故事

佛叫我们先修出入息，再修到明心见性、成佛，证阿罗汉果，连带身体也变化了，叫做即身成就。这是个秘密。所以我告诉大家，像我这一生，不敢说世界上这些统统学过了，但几乎差不多学遍了。回过头来一看，原来这许多的法门，都是从佛所讲的变出来的。大家都被这些花样骗住了！其实就是修出入息。所以最近这几年，我叫你们看三国以后，也就是东西晋这个阶段所翻译的佛经，除《般舟三昧经》、《安般守意经》以外，还有讲修行很重要的一本《修行道地经》。

　　这本经是当时最初步比较具体的翻译，可是我当年看《大藏经》的时候，把它忽略过去了，所以后来非常忏悔。因为书读多了，有的时候会被文字困住，看到他把五阴翻译成色、"痛"、想、行、识，认为是初期的翻译，翻得不行。后来的翻译是色、"受"、想、行、识。等到三四十年后，再诚心地读，才发现他翻译得对，因为感受都是难过的、痛的。他是印度人，到中国来把佛的修行方法翻成中文，"色"容易讲，看得见；"受"是什么呢？一定是掐人家一把，感到很痛，所以把感受都翻成"痛"。感受最大的反应是痛，轻度的反应是痒。

　　佛传的安那般那这个《修行道地经》，是三国的时候翻译过来的，道家非常注意。道家讲练气，在西晋、东晋最为流行，是把佛家跟道家两个方法融合起来，所以那二三百年之间，出的神仙特别多。

　　所以不要认为鼻子的气脉不重要。早晨起来，双鼻通的人绝对健康，有一边不通身体就有问题，对男女、饮食就要注意守戒了。尤其要学会单鼻呼吸，右鼻的呼吸进来，从右脉下去，管大肠系统。左鼻的呼吸管荷尔蒙（内分泌），或者男女精的那个系统。尤其是左边，以中国来讲，左边是阳，右边是阴。还不止如此，你两鼻气脉通了以后，如果去买房子时，到一个环境，进入房子内，一闻有怪味、怪气，就知道风水不好，有点邪门的，这个房子就不要了。

譬如我们在这个禅堂，你闻闻看，你们自己有鼻子嘛！我说你们要修道做工夫，为了生命，天下最便宜的生意你不做！自己妈妈生的鼻子，一毛钱不花，却不肯去做工夫，真是天下的笨蛋。

我们普通活了几十年，只晓得白天活着，夜里睡觉，呼吸也永远在呼吸，谁来管过自己的思想啊！如果思想和气两个没有配合的话，它就分两条路走了。尤其我们在注意一件事情的时候，呼吸好像停止了，因为拼命在注意事情。有时候看到一个人，一件事情，哎唷！好可怕，呼吸就停掉了。或者有一件很高兴的事，哈哈一笑，呼吸也停了。心跟气根本不容易配合。

心气配合为一的时候，你才懂中医所讲的十二经脉的变化，身体内部的变化，以及一切的变化。那时才懂得修行之路，所以对于气的认识非常重要。

消息　出入息

安那般那中文简称出入息，也就是出息、入息。那么翻译中文的时候，为什么不翻成出入气呢？问题就在这里哦。大家研究中国传统文化就要注意了，"息"字是哪里来的？出在《易经》。我们现在讲话，比如说有没有"消息"，这个消息两个字出在五经中的《易经》，我们已经用了几千年。不是出自孔子哦！老祖宗时代就有了。

什么叫"消"？这是科学了，我们一切动作，一切讲话，一切生命都在消，都在放射消失掉。以科学来讲就是物理的放射作用，放射完了不是没有，而是"息"，那是成长，息是成长哦。所以一消一息就是佛学讲的一生一灭。灭不是没有，是另一个生命的开始。

第二节　为什么修出入息

说风

善行数变的风

风动了

转化四大

老子也说出入息

出入息发展出的法门

说　风

　　释迦牟尼教导弟子们即身成就、证果位的修持方法，是先由修出入息入手。我们给它下一个注解，是先修有为法；就是从现有生命的生理方面入手去修的。现在的生命，重点就是鼻子到喉咙这里三寸的地方，如果气不进来就活不了，一口气不来就是死亡，所以要从这里开始修。

　　在修学的物理方面讲，这是修风大，就是宇宙的能量变成气变成风。这个风是无形无相的，谁看到过风啊？我们大家看到过风没有？没有。你说有啊，风吹到脸上有感觉，那是你脸的感觉耶！那个风的体是什么样子，你不知道。所以在《庄子·齐物论》中，描写宇宙天地的大气，碰到小孔有小声，大孔有大声，他描写得太闹热了。这个不是风的相貌哦，庄子讲的就是这个气。所以第一篇〈逍遥游〉就是讲气化，宇宙物理的变化，〈齐物论〉也告诉你这个气的重要。

生命是靠这一口气，喉咙这里三寸，气不进来就死了；进来不呼出去也死了。这个生命是那么脆弱、短暂，就在这个呼吸往来之间。

在八识里头，这个呼吸是什么作用知

道吗？这叫"根本依"，因缘里头的根本
依。你问一般讲唯识的，什么叫根本依？
他会说"那是习气"，把根本依当成理论上
的观念了；他不晓得就是这个气来的，这
个气叫做根本依。

　　根本依的后面是什么？是"种子依"。
那就是你的个性了，前生业力的习气所带
来那个叫种子依。所以你们要搞清楚，我
们活着有这一口气的生命，在死亡以前是

根本依在这里。而这个气呢？表面上看到是身体内部一股气，尤其是鼻子这里很明显；实际上不只是鼻子，我们全身十万八千个毛孔都在呼吸。尤其身体上有九个洞，两个眼睛，两个鼻孔，两耳朵，一个嘴巴，脸上有七个，下面小便大便，九个洞都在呼吸。不过呼吸主体的作用在鼻子，像烟囱一样，两个烟囱在呼吸。

善行数变的风

所以我叫你们读《黄帝内经》，现在中医不大注意，几千年前我们老祖宗讲风是怎么讲的？《黄帝内经》有一句话，说我们身体内部的风，这个气流，是"善行而数变"五个字。怎么叫善行？你不要看成善恶的善哦！这个善是形容词。这个风在身体内部是咻……咻……这样转，转得很快，叫善行。

身体内部这个气不仅动而且数变，人为什么会中风呢？风碰到那个骨节时，地大这一部分温度不够了，或者骨节疏松，这个气一到这里，咻！打中了，动不了啦。风善行而数变，风与它物相合会结块，变成实体的了；所以说有些人身体里长瘤啊，生癌症啊什么的。

譬如说有时候打起坐来身体发痒，痒得不得了，我就给他吃中药的消风散加白芷，把风打开。老师啊，你那个药好灵哦，不痒了。为什么痒？因为风在里头动，酸痛也是风在那里作怪，看你用什么药。《黄帝内经》这一句话，现在人的中文不好，怎么能读懂医书啊！

　　风就是气，所以佛叫我们修安那般那，修风大，修呼吸气，直接可以达到三禅天的境界；然后配合了念头清净，就到四禅。四禅是舍念清净，我讲了半天很吃力，还是听我们的老师释迦牟尼佛的提倡，教大家修安那般那吧。

　　佛叫你修安那般那，教你怎么样从修出入息入手，把这个生命改变过来，即身成就。也就是用这个肉体的身，直接可以成佛。最后无修无证，成功了，如如不动，就是洞山祖师悟道的最后一句话"方得契如如"。这个修法的发展很广，所有密法、道家，尤其是道家修神仙的，修长生不老法门的，统统是从安那般那来的。这个安那般那同生死有关，所以修风大，在中国变成道家的修气脉。像打通任督二脉，打通奇经八脉，乃至修守窍，或者守丹田，都是从修呼吸法门演变出来的。

风动了

　　行阴，就是动力在转，这个动的力量是什么？佛告诉你就是风大，就是一股气在生命这里转。这股生命的力量，就是动能，是行阴。你们注意，行在动力究竟是属于真空力学，还是属于量子力学，还是属于生命力学，等科学家慢慢去摸吧。

所以修行修行，告诉你这个行就是动力在变化，能量在变化。这个气就是能量，在胎中七天一个变化，然后第一个七天生出来第一条督脉，就是背脊骨这里慢慢生起来的。当然生起来是没有骨头的，是软的。所以我们中国的医书《黄帝内经》说风"善行而数变"，它变出来了，这股气是由背脊骨这里变出来了。修气脉讲做工夫，就是这个地方。中脉也慢慢地开始长出来了。

所以我们打坐修行，是从修四大的"风大观"进入。风大和这个身体有密切的关联，我们从娘胎开始，一直到现在，很明显容易感觉到的是"风大"，它表现在呼吸往来上。一口气不来四大就跟着完了，呼吸往来就是"风大"的生灭作用。当"风大"停止作用，呼吸停止往来，四大也就没有了。"风大"和"空大"是比较密切的一组，"风大"一散就空了。

呼吸是什么东西呢？就是佛学的生灭法，有生就有灭，有灭就有生，一来一往，也叫如来如去，好像来过。其实呼吸进来有停留在里面吗？没有，不可能。不停留在里面吗？也不可能，这就是呼吸。注意

《达摩禅经》有秘密告诉我们，就是大阿罗汉的修行经验，这个一呼一吸叫"长养气"，保养用的，也就是安那般那。

转化四大

总之，安那般那以修风大观为基本，因为风大这个气，就是唯识学所讲的八识的"根本依"，是八个识所根本依止的。这个生命就是一口气，如果不从根本依上去解决，就得不了定。物理世界的生起，也是风轮先起的，研究《楞严经》就知道；念头一动，气就跟着动，四大作用跟进，各种感受、念头、境界跟着来。反过来，你念头真的止了，专一了，就会转化四大业报之身。

修安那般那是先转化你的四大，由风大、由气来转变你的地水火风，转变习气，每一个细胞神经都转了；因为这个业报之身转了，超越了欲界天所有境界，才可以得到禅定。这是简单明了告诉你们一个大原则，所以叫你们好好修安那般那，从修小乘禅观入手。

这是佛学讲修证之路的一个科学系统，同生命科学连起来，是一个根本的道理。如果这个不懂，所有学佛都是白搞的，所有打坐也是白坐的，不管你学密宗、禅宗，学什么宗都没有用。

这个法门是为自己的修行，如果本身

没有求证到，而说自己是说法利他，那是罪过的。即使把经典教理背得滚瓜烂熟，如果自己没有求证到的话，讲好听是"学舌鹦鹉"，讲不好听是自欺欺人，所以自己必须要证到。

老子也说出入息

现在讲到修出入息的法门，首先要认识什么是出入息。除了佛说的这个出入息以外，还有哪个祖师也说过呢？是老子说过的。我一提你们想起来了吧！老子说"天地之间其犹橐龠乎"。实际上这个龠是笛子，里面空的，气一进来就发出声音。风箱也叫橐龠，以前打铁的火炉，旁边有个风箱，一拉一送，唧噗唧噗，那个风就动了，把火吹了起来。老子告诉我们，整个的宇宙空间及生命，是一生一灭，一来一去的呼吸关系。

道家修练太极拳，老子也告诉你修呼吸最好，修到什么境界呢？修到"专气致柔，能婴儿乎"。尤其打太极拳，大家都晓得用他这一句话，实际上工夫都没有到。佛传你修安那般那出入息的法门，可以成仙，长生不老。"专气"是修练这个出入息安那般那；"致柔"是把这一身的细胞、骨头统统都变成非常柔软。不管你是否一百岁才开始修，只要工夫到了，整个的身体同婴儿一样，就是由这个一出一入的气，把它修成这样的。

刚出生的婴儿"阿"的一声哭，气一进一出，在一百天内，就是不哭很静的时候，好像没有呼吸了，这时婴儿的呼吸不在鼻子，是肚子下面丹田自然在动。现在先告诉你们学理，再用方法练习，你就可以上路了。

现在你们看到鼻子呼吸很简单，但是都

有所不同。学过瑜珈，学过密宗，学过禅，呼吸都有不同，左边的气和右边的气又不同。早晨睡醒右鼻很通，左边不大通，身体有一点问题了；如果再加上呼吸困难，更有问题，自己就要知道了。岂止这个，连下面放的屁，都有左边右边的气不同，你以为放屁那么容易吗？自己体会体会，这个生命不是那么简单的，此其一。

第二，两鼻孔的气，在真的工夫到这

里时，得定了，呼吸不动了，鼻子不呼吸了，但鼻子的根根在呼吸；最后来到脑子在呼吸。工夫到了这里，那你差不多了。所以学佛叫止观，得止，很宁静；得定了以后，自己内在的智慧，看内部的身体，慢慢地观察，就是止观，这都是有为法。道家同密宗把这个修法归纳为一句话，叫"内照形躯"四个字。所以中国修神仙的丹经《参同契》，也提到"内照形躯"。当时佛经还没有传过来，中国已经有了这种说法。

出入息发展出的法门

再回头说，原来密宗的修气、修脉、修明点、修拙火，都是安那般那出入息发展出来的一切一切。譬如密宗的花教——萨迦派的瑜珈，有一个人最崇拜这个瑜珈，此人也是我的学生，我就顺便捡一个法本给他，他常带在身上，有时拿出来问我问题。我说这是萨迦派的，四个阶段，也是瑜珈修法。

　　所以好多年前，我在海外、在台湾，看到大陆流行气功，我又难过又好笑。我说中国文化怎么变成这样！气功有什么了不起啊，大家对"气"是什么东西也不懂。我说中国的文化如果讲修炼，第一步练武功，第二步是气功，第三步是内功，比气功要高一层了，第四步是道功，第五步是禅功。我说现在中国怎么一齐搞气功？气是什么东西啊？都把一呼一吸当成了气；一呼一吸是气，但属于风大的作用。天台宗的数息观教你数息，现在禅宗也学天台宗，只讲数息，打起坐来就在那里数出入息，计算这个数字，学了一辈子就搞这个。所以我在《如何修证佛法》这本书上就讲，你们修这个是学会计啊！呼吸几秒钟往来一次，昼夜二十四个钟头我们呼吸了多少次，现在科学统计得很清楚啊，你记这个数字干嘛？呼吸进来出去，它能够停留吗？要像攒钱一样留在那里，你找死啊！呼吸进来如果留在那里不出去，都是碳气，会生病的，呼吸要流通才健康啊。

如果达到了得定，止息，不呼也不吸，那个就是真息。佛告诉你的，呼吸往来叫"长养气"，是保养用的，等到止息，不呼也不吸，鼻子、身体，都没有呼吸了，定住了，那个止息是止了"报身气"，那是生命的根本。你能把握住了那个，可以祛病延年，活久一点；不一定说不死，不过也许不死。

第三节 六妙门的修法

说六妙门

讲到修行的方法及理论，现在先说一般流行的六妙门：数息、随息、止息、观、还、净。后世的说法有些解释岔开了，和原始小乘佛经《阿含经》所讲的有差别。说到六妙门，现在日本及全世界流行的禅宗，做工夫还在六妙门上转，还在那里数息，工夫到达随息的都很少。我也不敢说走遍了全世界，至少日本、美国去过，欧洲也去过，了解的情况大致如此。

佛法里头讲修行的，是由有为法入手开始修，这是讲学理上的话。什么是有为法？就是由现实的这个生命，由物理世界，生理方面，开始着手修出入息的方法。这是释迦牟尼佛之后传到中国来的。这个流行了一两千年的六妙门，究竟有多少人用这个法门修持得了成就？在我一生的经验，我非常感慨地告诉大家，几乎没有看到过一个。乃至现在流行在全世界，尤其是日本的禅宗曹洞宗也是一样。

这个六妙门，释迦牟尼佛他老人家并没有专讲。谁讲的呢？是我们的大师兄们五百罗汉，是他们从修持的经验提出来的方法。我们研究发现，佛也曾讲过出入息法门，只不过没有讲那么多，因为当年时代不同嘛。我常常笑你们学佛都晓得拜菩萨，没有人去拜罗汉，罗汉才值得拜呢!罗汉是什么呢？就是三皈依的皈依僧。这些罗汉僧，都是出家有成就的。苏东坡专拜罗汉，拜得最厉害，他很懂。罗汉就是圣僧，出了家得道的和尚，也叫圣贤僧，我们中文倒过来叫贤圣僧。

《达摩禅经》里提到过一点六妙门的方法，不是主要法门；当时传下来，没有详细分类，只是提了一下。为什么？这是问题了。现在找根源，佛在小乘经典里，尤其是《阿含经》里曾提出这个法门。照佛的原话，佛在《阿含经》里提到"息长知长，息短知短，息冷知冷，息暖知暖"。这是他老人家当时传给弟子们的，不过只讲"长短冷暖"而已。当年这些大阿罗汉圣贤僧们，以及那些祖师们，由于智慧高，一听就懂了，不像我们这样笨。

色身转化

六妙门是修色身转化，是对父母所生这个肉体生命，一个非常初步的转化方法。但是我很感叹，流传到现在一两千年，真修实证做实验达到的，万难取一，一万个人里头没有一个。学理好像自己都会，都是玩聪明的，那是绝对没有用的。

修行为什么要先改变自己的色身呢？《楞严经》中佛最后的吩咐要记住哦！"生

因识有"，我们生命投胎来的时候，十二因缘里无明缘行，行缘识，是心意识精神跟物质结合，也就是跟地水火风空五大结合才有了身体。第二句话"灭从色除"，色就是地水火风空，物理、物质、生理上的。你要修行上路，把生命恢复到成佛的境界，就要从肉体上来转变。

下面"理则顿悟，乘悟并销"，佛学的道理你们都懂了，这些道理要靠顿悟，一

下子明白了；明白了以后"乘悟并销"。刚
才一位同学讲，阿弥陀佛空的嘛。他好像
理都懂了，实际上一点用都没有。下面两
句"事非顿除"，工夫是一步一步来的，事
就是工夫，不是你道理懂了色身就可以空，
你空得了吗？所以不是一懂就达到的。"因
次第尽"，是一步一步修下来的，色身也是
要一步一步的修持才能转变。

数息的秘密

关于六妙门的数息，有个秘诀的，我现在把秘密告诉你们。我对你们都很慷慨地法布施，学密宗的话就不得了啦，要你们磕很多头，拿很多供养，还有很多条件；最后拖了一年半载才告诉你一句话。我不是这样，我能够知道的，过去祖师们留下来的，也是天下人的，如果让我知道了，我很不客气地一定把它公开。我不喜欢留一手不传人，我认为不道德。要注意学这个精神，使人人都得好处，那才是修道的目的。

佛有个秘密的交付，当你要数息的时候，数哪一个？在哪个时候计数呢？人的贪心、私心多半在呼吸进来的时候计"一"，那是做气功，不是修道。佛告诉你真正修道是数出息，注意出息，这个秘密我现在告诉你了。佛讲的秘密，大家经典看不懂，我就看出来了。看到这一句话，当时对佛磕头，你总算吩咐后代的人了，可是后代的人自己不修，那就没有办法了。

修涅槃是注意出息，出息怎么数呢？当你的气进来再出去的时候，你要把所有的一切，连生命，一切烦恼，一切病痛，一切东西，跟着出息放出去。尤其是今天感冒生病，或者身体里生瘤啊，生癌啊，让它一齐跟着出息出去，出去就空了。你如果这样数息，马上身体就轻松了，先试一分钟再告诉你们。

这不是理论，自己试试看，不一定盘腿，任何姿势都可以。呼吸本来有的嘛。你注意出息，思想跟着呼吸自然走，一切烦恼痛苦，一切病痛，一切的业障，呼出去就没有了。呼出去再进来的那个是干净的，到你里面又变脏了，氧气进来变碳气，接着碳气再呼出去，一切病痛也没有了。

所以要注意数出息，不是入息。

　　一般练气功修道的，准备练功时，先吸一口气闭起来，那是找死啊！练武功的更有这个毛病，我看到许多练少林功夫的也有这个毛病，最后还是要出去嘛。最后"嘿"的一声，气出去了才发生力量嘛。一般人因为不懂，就拼命吸一口气闭住。真正"空"的力量比"有"的力量大，穷人比有钱人狠，对不对？所以你气进来保持住，那就不对了。数息这个初步懂了吧！

把思想意识拉住

修行打坐，为什么管你的气呢？叫你先认识自己出入息，一进一出，要你把心跟呼吸配合。思想跟呼吸，这是两样东西哦！从生命投胎以来就分开的。你看人活到五十几，老了，但永远很规律地呼吸，却根本不晓得呼吸是什么！更不知道你的思想跟呼吸又有什么关系。你没有去管，只是你那个第六意识思想在乱想乱跑，是不是这样？佛学有一句话，就是把向外驰求那个心，像野马一样向外乱跑的心，用自己生命这个气，风大，当做一条绳子，把乱跑的心拉回来，与气配合在一起。

　　怎么拉呢？你当然不会拉，所以告诉你先要"数"，先数自己的呼吸，气一进一出数一、数二……其实这个时候三个心在用。你知道"数"是心的投影，那个心跟气配合为一，就是一个心在用了；旁边还有一个影子（心）在看自己数对了没有，两个了，都是自己变的；后面还有个监察的作用哦！（也是心的作用）这一下我没有乱想，完全数对了。你看这个心的厉害！所以庙子上塑的菩萨四个面孔，四面自己都看到了，佛像就代表你的心，我们心的功能同时在四面都可以看见。

　　道家懂了释迦牟尼佛修出入息的法门，就有个比喻叫"降龙伏虎"，要把这个思想、那个思想拴住。思想就像飞鸟一样，乱跑的，你自己做不了主。思想来不知所从来，去不知所从去；如果你把注意集中在呼吸上，思想就被你拉回来了。

　　但不要故意去呼吸，我们这个鼻子的呼吸往来，你平时也都没有注意，现在上座什么都不管，能够听得见更好，如果听不见你也会感觉到呼吸一进一出，一进一出。你感觉第一下，感觉第二下，思想跑开了，你就晓得心和气两个分开了，赶快把它拉回来。所以道家又比喻这个为男女结合，阴阳双修，等于女人跟男人配合连一起。道家说阴阳配合在一起，中间有一个媒婆叫"黄婆"，媒婆就是"意"；是你那个意识要把呼吸跟思想拉在一起。但不要太注意哦，呼吸本来有往来嘛。一上座什么都不管，意识只注意这个呼吸，思想就与呼吸结合在一起不乱跑了，方法很简单。

如何数息

可是一般人做不到，佛就告诉你"数"。怎么数呢？你知道呼吸出去，你注意它出去了，又进来了。一进一出叫一息，你数一；再来一进一出，数二；再来一进一出，数三；记这个数字。如果呼吸一进一出，一二三四五六七八九十，数到十以后，还有个方法，不数下去了，再呼吸一进一出数九，再一进一出倒回来数八。如果呼吸一进一出数到三，中间想到别的了，不算数，重新来过。如果数到六，又有别的思想岔过来，不算数，再从一数起，这叫数息的法门。

可是你们想想看，我们的呼吸本来天生一进一出，本来有的，对不对？同时我们还有一个作用，感觉到自己有没有注意呼吸。哎唷！不对了，又乱想了，有这个作用对不对？这一心就有三个作用。所以我们普通骂人不要"三心二意"，三个心二个意，你看我们生命多么闹热啊。三心二意合起来就有五个哦，五心归一，你只要注意呼吸，不要太用心，自然放松，呼吸到哪里你不要管，但你会感觉到的。如果思想跟这个呼吸到胃部了，或到别处了，也是妄想，因为心跟息没有配合为一。

有些禅定的书上告诉你"眼观鼻，鼻观心"。搞得这些修行人就把眼睛盯在鼻尖上，低着头，那要命了，会成精神病的，脑子气也走不通。其实那不过是叫你眼睛不要观外面，只要注意一下鼻孔呼吸罢了。初步呼吸是鼻孔里头出入，跟心念配合在一起，这才叫"眼观鼻，鼻观心"嘛。不是守这里啊，要配合心念就宁静了。这一宁静你有感觉的。

如果呼吸进来，好像下不去，只到肺部，或者是哪里难过，会有很多的问题，我们慢慢再讨论，先了解这样叫数息，一共有六个要点。数息第一步，随息第二步，第三步止息，第四步观，没有讲观息。止、观、还、净，其实应该说数息、随息、止息、观息、还息、净息。可是他把下面这几个息字拿掉了，这就出了问题。

数和随

数息的目标再讲一遍，你打起坐来数息一二三，为什么用数呢？能数的是心念，呼吸不管你数不数它，同它没有关系，不过借用这个呼吸把心念拉回来，跟呼吸配合。大家学佛修道，拼命在那里数息，我说你们是学佛还是学会计啊？呼吸是生灭法耶，进来又出去了，出去一定是空的嘛，你数那个空的东西干嘛！可是佛为什么叫你用数息呢？因为你心念拉不回来，所以用呼吸往来做工具，把心念拉回来。心念拉回来你就不要数了嘛！不数干什么？随。

　　第二步是随息。你已经知道呼吸进来，呼吸出去，进来知道进来，出去知道出去，旁边那些思想妄念一概不要理。等于禅宗祖师的一句话"龙衔海珠，游鱼不顾"。听懂了吗？只要心念专一，旁边的杂念思想一概不理。"龙衔海珠，游鱼不顾"这一句话，初步可以借用到这里。你专一了吗？专一了就随息，气进来心念知道它进来，你管它到哪里呢！但是你会有感觉的。

当这个气进来，庄子说："众人之息以喉"，记住哦！普通人的呼吸只到胸部肺部，或者身体不好只到喉部。"真人之息以踵"，得道的人，有工夫的人，气一进来，一直灌到脚底心。我老实告诉你们一个经验，像我们呼吸时，没有感觉到身体有呼

吸，但是脚心脚趾气就到了，四肢都到
了。气长命就长嘛，气短命就短了，这叫
随息，相随来也。你看唱京戏的唱昆曲的，
那个小姐同那个书生，相随来也；跟着来
了，这叫随息。不要用心的，有一些杂念
妄想一概不理，那个杂念妄想你已经知道
了嘛！知道了它就已经跑开了，所以你只
管这个息就是了。这样听懂了吧！这是六
妙门第二个随息。今天再把秘密告诉你们，

修六妙门数息时，我常常叫你们不要数了，
你直接随息就可以了。

止息的状态

　　如何是止息呢？你看人的呼吸，刚才
给你们讲睡觉，一上来粗心大意的时候，
有呼也有吸。我们这个身体很奇妙耶，你
两腿一盘，什么都不管，像鱼在水里头呼
吸，嘴巴吸进来，从两边鳃喷出去了。你

看那个鱼喷啊喷啊，有时候它嘴巴不动，不喷水了。我们也一样，鼻子呼吸一进一出，到了宁静专一时，呼吸也不动了，好像没有呼吸了，这就是止息。

到了止息的时候，你的心境也自然特别宁静了。好，这个时候你会感觉到，于是不知不觉地就会去注意感觉了；但是你不要注意感觉！气本来空的嘛！如果你觉得太充满，或者用鼻子，或者用嘴巴，把它呼出去；一概把它放掉，空了，身体也不管了。气充满了，念头也止了，身体内部的变化就很大了。

我从前带兵时，夜里常去视察一两次，有了经验。凡是打呼的，呼吸很粗的，他没有睡好；虽然睡着了，其实脑子在做梦。真正睡眠睡好的，你觉得他一点呼吸都没有，一点都听不见，大概有一分钟，那个时候才是真睡着了，这就叫止息。所以人

的脑筋真的宁静到极点，往来的呼吸好像
停止了，那叫止息；出入息的中间有这个
止息的阶段。

照科学的研究，一个人夜里睡六个钟
头或八个钟头，其实没有真正在睡，是左
右脑分区在休息，里头还在思想。所以每
个人可以说都在做梦，可是醒了却忘掉了。
研究唯识你就懂了，真正睡着那一刹那，
无梦无想，是真正止息，那个睡眠不会超

过一刻钟的。所以打坐修定的人，做到身心宁静，止息一刻钟或半个钟头，你一天精神用不完，那就是真正的充电了。

　　但是一出一入中间很短暂，你分不清楚，中间那个宁静的阶段是很快速的。拿机械物理来比喻，就像发动机嘎啦嘎啦在转，你听到第一声到第二声中间有个空档，是非常快速的刹那；在呼吸一出一入中间，有一段刹那之间的，就是真息。

　　道家有个女神仙，是宋朝开国大元帅曹彬的孙女，她出家得道，叫曹文逸仙姑。她有一篇修道的歌，可以跟永嘉大师的《证道歌》相提并论，叫做《灵源大道歌》。其中讲到生命根本的一句话，非常好，就是"命蒂原来在真息"。这个生命的根蒂，就在一出一入之间的那个止息的阶段。这个一出一入间的真息，就是一切众生的生命所在。

六字诀

　　修六妙门止观，有个六字口诀很重要：呵、嘘、呼、吹、嘻、呬，究竟是从佛家来的，或者是道家来的，我到现在为止还没有弄清楚。这是讲学问知识。用处呢？非常有用，这六个字发音效力很不寻常。

　　"呵"的发音，喉咙没有声音，当你修安那般那呼吸法的时候，如果感觉自己心脏胸口这里难过，就用"呵"字。这个声音从心脏这里呵……把这一口气呵完了，嘴巴一闭，气自然回转来。你呵几次，胸口心脏这里气打开了，病也出去了。

"嘘"字的发音是"河威"合起来，这是与肝有关的音。

"呼"是脾胃有问题，消化不良用呼字，嘴巴发音的形态，你看呼怎么发音。（师示范）

"吹"字是肾部，腰这里难过，气走不

通，用吹字发音，不是念出声音来，这个
嘴巴如吹箫，吹笛子（师示范），一口气把
腰、肾脏所有毛病吹完。吹到最后没有了，
嘴巴一闭，自然呼吸。一两次以后这里就
松开了。

　　"嘻"字是什么发音？我们人高兴时怎
么笑啊？嘻嘻，嘻嘻，就是嘻这个发音，
把前面三焦都打开了。

　　"呬"是用广东话发音、闽南话发音也

可以，西啊，斯啊差不多，嘴巴拉开，是
与肺部有关的。这六个字发音非常重要，
所以属于安那般那出入息的法门。

　　你们很少看到真正的丛林，在中国的
大庙子，像宁波天童寺、阿育王寺，或者
常州天宁寺，不知道现在还有没有。真正
的丛林建筑，就是表示修行的方法。你一
进到山门里头，前面的殿有哼哈二将，那
个"哼"是用鼻子呼气，"哈"是用嘴巴哈

气。为什么一进丛林，最先看到哼哈两个
神将呢？就是安那般那，是呼吸作用。哼
哈二将这个殿过了，再进去是四大天王，
代表两个眼睛，两个耳朵；也可以说是眼
睛，耳朵，鼻子，嘴巴。中间有一个大肚
子的弥勒菩萨，哈哈大笑，也可以嘻嘻大
笑，人生难得开口一笑，所有的气都通了，
对不对？大丛林修好了，统统把修行方法
在形象上告诉了我们。

　　弥勒菩萨后面才是韦驮护法菩萨，再进去大殿上是释迦牟尼佛，法报化三身坐在那里。再转过大殿，背后是大慈大悲观世音菩萨，得道以后入世，再来苦海里救度众生。大殿释迦牟尼佛边上两排是十八罗汉，或者是四大菩萨，都是配套的。真正大丛林，用偶像来告诉人修行的方法，修行的路线都很清楚。大家不懂，当做偶像崇拜，实际上是告诉你修行先从安那般那，哼哈二将入手。

观　还　净

　　"观"，什么叫"观"呢？止息以后，你知道自己呼吸宁静了，虽然没有完全定住，很久才呼吸一次，你也知道了，不管了，这个时候是观。你那个所谓知道，已经是观了，不要另外再有个观。你知道自己这个样子，不就是在观了吗？然后你会产生什么问题呢？你观察到，自己这个气到胸口怎么下不去呢？背上这里很难过啊！这就是观，你看到了。这个时候怎么办呢？你看到自己背痛腰酸，好像肝这里很难过，是不是生了什么东西了？你的怀疑都来了。但是不要理它，你这个时候最好故意提起来，不是鼻子了，要点是在难过的地方，把它定住不动。

"还"，是要按前面这样修行，然后工

夫到了，好像鼻子呼吸一切都停止了，身体内部都完全变化了，变化回还到哪里去啊？你看六妙门书上转向大乘般若空的方向走了，空观啊，假观啊，把人家带向那一路走了。明明六妙门是小乘的修法，是工夫耶，回还到哪里呢？应该回到不呼不吸，就是老子讲的"如婴儿乎"，回到在娘胎里，或者刚出娘胎时那个婴儿的呼吸状态，应该"还"到那里去才对。

"净"，然后呼吸也清净了，杂念也清净了。杂念清净了以后就没有思想了吗？错。

因为你脑子已经知道了，这就是观，不是用眼睛去看，是"心"观耶！就是意识知道。然后还、净，杂念妄想少了，心气专一了，先定在那里，身心转变就非常快。然后身体内部充满，气就发胀了，是应该这样的"还"啊！如果一天到晚勾腰驼背又昏沉，那就不对了。

今天的话是第一步的第一步，原来不是我不告诉你们，因为你们一点体会都没有，叫我怎么讲呢？现在你就可以试，就那么短暂一下就到了。但是到了，不要认为佛法就是这一点哦！这只是叫你认识第一步。可是你们到了这一步，精神来了，不想睡了，起初你们坐在那里身体动来动去，因为身体的气不充满；你到这一步，气充满了，不动如山了。

可是你会发现一个现象，血压高，头发胀，睡不着了，所以一步有一步的境界，一步有它一步的对治方法。懂了，进步就很快，但是，一般的修止修观，修安那般那的呼吸往来，把鼻子的呼吸下意识地向下引导，就引到下面去了。然后又专注在意识上，感觉上，同鼻子一点都没有关联了。鼻子到喉咙这里是自然的呼吸，不是你用意去练习出来的，千万注意。

但是，你必须要身心端容正坐，把
"身见"先丢掉。佛叫你们念十个法门：念
佛、念法、念僧、念戒、念施、念天、念
安那般那、念休息、念身、念死。我说你
们要弄明白，佛把"死"放在最后一个，
其实一上座就把自己当做死了，这个肉体
摆在这里不动，然后你直接进入安那般那，
一下就到了，你还管这个身体干什么！

六妙门的问题

开始给你们讲的重点，就是修出入息，我给古道他们少林寺的一些出家人也讲过；尤其古道，年轻出来到处求师访道，剃光头也好，吃素什么都做，求过很多。古道原来修持不是没有心得哦，他走天台宗的路线修禅定。天台宗那个路线是六妙门，六种方法，小止观六妙门。所以我给古道他们专门上课讨论，因为他的确讲究修持嘛。对于没有经验的就不给他讲了。

我说古道啊，你们这几个人注意啊，小止观六妙门，是智者大师从《修行道地经》及《达摩禅经》抽出来的一个修行方法。天台宗创宗比禅宗晚一点点，差不多同一个时候，两方面分开的。智者大师自己修持有成就，把这个方法写出来以后，小止观这个法门就在天下流通了。到现在为止，小止观已由小乘变成大乘了。我一点都不客气地批评，这可是误尽了修行人，使得走六妙门小止观修法的人，没有一个走通的，也没有一个修成就的。古道！我是不是这样说的？（古道师：是。）

我好大胆啊！只有我敢对玄奘法师翻译的唯识，及这个智者大师公然批评，统统把他一手扫了，批评了。所以我说你们看天台宗，两三代之间只有两三个人成功。后来的永嘉大师是先修天台宗的，但是他开悟是走禅宗的路线。他悟道以后再请六祖印证，他写的《永嘉禅宗集》，完全脱开了天台宗的办法。他很了不起，所以禅宗真正了不起的弟子是永嘉大师，可以说他是第一人。

我说这个六妙门的问题，智者大师有错吗？没有错。他是大慈悲，他整理出来修安那般那的方法，做为修定入门，但马上却转到大乘去了。因为他怕一般光修安那般那出入息的人，修啊修啊有神通了，变成外道；有了天眼通、天耳通、他心通、宿命通，乃至空中可以飞起来的神足通。五通一来，般若智慧受障碍了，不会大彻大悟了。因此他一转就转到大乘，变成三止三观。可是从他这个以后，修行人能成就的就少了。

现在六妙门千万不能碰了，我为什么写了一本《静坐修道与长生不老》的书

呢？就是破那些执著六妙门的，破执著
"因是子静坐法"的，破那个"冈田静坐
法"的，因为一般人都走错路了，我是一
番慈悲心写那本书的。

　　现在我讲的更破六妙门。六妙门是对
的，只不过他用错了，你把六妙门拿来对
照看看就知道了。所以现在走遍天下的禅
宗，乃至打起坐来，问他们在干什么？都
是在修止观，修数息观，就在那里打坐。

不止他们哦！古人很多落在这里。有些大名人，你翻开他的诗集看看，苏东坡、陆放翁、白居易，他们都是学禅学道的。陆放翁的诗"一坐数千息"，打起坐来自己数这个一呼一吸，每次上座数几千个息，等于念咒子念了几千遍。你查陆放翁的诗，我看了就笑，陆放翁在学会计啊，有什么用！好，现在再告诉你们六妙门，慢慢来。

　　为什么用这六个方法呢？其实六妙门只有一个门，原则只有一个方法，就是利用你的风大。我们生命都是气嘛，这个气详细讲很多，先讲六妙门。你们打起坐来，思想到处飞，收不拢来。思想为什么不能清净呢？你自己身体那个冷气机电风扇没有关掉；也就是说，你的呼吸在动，呼吸动思想就动。换句话说，思想动呼吸就动，"心""息"两个没有连在一起。

我们中国人有句骂人的话，"没有出息"，这是道家的话，说你呼吸不对，没有出息，闷住在那里变成笨笨的，要有出息才对。什么人没有出息呢？这句话好毒啊，只有死人才没有出息，因为死人没有呼吸往来了嘛。所以这个息有这样重要。

现在告诉你们，打起坐来思想为什么不能宁静，念头不能清净呢？因为呼吸往来，风动，行阴。呼吸为什么往来？因为你思想没有宁静。你说这两个哪个为主，哪个为附带的呢？其实两个平等，天秤一样。你如果呼吸宁静了，思想也宁静了，这个天秤平稳了，不是心先还是气先的问题。

　　我提出来批评天台宗的祖师爷，对他很抱歉，只好忏悔磕头。那也不是他的错，他提出来这个修法完全对，是后世搞错了。六妙门的"数"、"随"不算什么了不起，

是个修持入门的方法而已，全部的佛法重
点在修止观。止就是定，观就是慧。

　　所以到永嘉禅师手里，他由天台入手
转到禅宗，结论有三点：法身、般若、解
脱。成佛有三个身，法身：是本体，不生
不灭，不空不有的，永恒的，明心见性以
后，自己工夫证到了，就是法身成就。化
身：十方一切诸佛及我们一切六道众生，
都是法身的化身。报身：譬如释迦牟尼佛

这一生，他这个肉体是报身，应报而来，
应众生的需要。所以佛以一大事因缘出世，
是应化身，为度化众生而来的。

第四节　十六特胜的修法

最好的修持方法

十六特胜

受喜受乐到初禅

心念的境界

观无常　观出散

观离欲　观灭尽　观弃舍

分三组的十六特胜

这本《达摩禅经》的达摩，不是禅宗那个达摩祖师。达摩两个字是总称，是总论的意思，等于写博士论文，综合了一切祖师们修持的经验学问的意思。佛陀跋陀罗在中国译出来这本经，也成功了，他的徒弟慧持法师，曾给你们介绍过的，在树洞里坐了七百年的那位，他们师徒两人和达摩祖师，都是同门的。

　　这本书你不读百遍千遍，看不出来深意。我每次读这种书，有时候当小说一样翻，虽然形式很随便，内心是无比恭敬地在求，佛啊！你总要告诉我一个消息吧！终于看出来了，《达摩禅经》有消息，秘密都在里头。

最好的修持方法

　　讲到禅定、般若的修证，由"风大观"讲到六妙门，六妙门是原则，是个初步的入门，没有什么了不起，重点在十六特胜。十六特胜的方法，概括了六妙门，但是六妙门不足以概括十六特胜。十六特胜的修法是佛的大弟子迦叶尊者、阿难等等，一直到达摩祖师这个系统。他们修持实证的经验，是根据《大毗婆沙论》等等。但是

　　在经典上，实际的修证方法还是没有说清楚。印度的瑜珈，是练气修心的方法。瑜珈和佛法的存在差不多是同一个时候，瑜珈有身瑜珈、心瑜珈。

　　真正的修持法门是"十六特胜"，大家记住哦！有十六条原则，是特别又特别的方法，秘密又秘密的方法，好得没有再好的方法。佛学用一个名称"特胜"，拿现在名词来讲，是战略上特别容易致胜的方法，是统战的大统战，最高的统战，统统把它综合了。千万记住，这个里头东西太多了。

十六特胜

一、知息入。二、知息出。三、知息长短。四、知息遍身。五、除诸身行。六、受喜。七、受乐。八、受诸心行。九、心作喜。十、心作摄。十一、心作解脱。十二、观无常。十三、观出散。十四、观离欲。十五、观灭尽。十六、观弃舍。

　　一、"知息入"，二、"知息出"，呼吸进来知道，出去知道。佛学经常讲"六根门头"，六根就是眼、耳、鼻、舌、身、意，大多在头部。呼吸进来，你注意"知息入"，头部这里的呼吸打通了。你试试看，不要什么都向肚子里咽啊、保留在丹田啊、沉下身体啊，笨蛋！你"知息入"，呼吸从鼻子里进来，你知道嘛！出去也知

道嘛，其他都不要管。气进来一定沉下去
的，不必管下面，如果一边修安那般那，
气进来，还要管肚脐管身体，你不是白修
吗！一万年也修不好！

　　气进来，你"知息入"，喉咙以下都不
要管了。到达了"知息长，知息短"，气一
充满，你整个身体也端正了，不呼不吸，
止息也来了，就那么简单；半天一天就可
以做到了。念头自然清净专一，身心立刻

转变，头也不会昏沉了，很容易定住。

　　三、"知息长短"，随时随地对自己呼吸的一进一出，晓得长短。这一句话就是问题了，什么叫呼吸长，呼吸短呢？你说有人那么高，我那么矮，还有我这里的两个儿子矮矮的，跟这个高的人比，差一半。那么高个子的呼吸进来特别长吗？我那个儿子，还有另一个也矮矮小小的，他的呼吸会短一点吗？怎么叫知息长，知息短呢？

　　所以要观察你自己。有时候身体不好，呼吸进来出去，你觉得只到喉部胸部这里，肠胃都达不到。像那位同学，她那个女儿，假使打坐呼吸会达到丹田、小肚子，甚至这里有一两个同学，可以达到脚底心。呼吸的感觉，知息长短，你静下来当场测验对风寒燥热的感受，就知道自己健康不健康了。

知息长短，主要在这一个"知"上，不在息上，你要搞清楚主体在"知"，知性。这个知性在身体每一个细胞、内外都普遍的，不一定在脑子里，而是无所不在的。先讲到这里，你们大家自己去体会，不要故意去练习呼吸。佛经告诉你，知息入、知息出、知息长短，这里是把那些佛经归纳，知息长短，配合上你的修持；对于饮食男女，要搞清楚，严持戒律。

　　四、"知息遍身"，密宗的三脉七轮，
中国医学的十二经脉，都是直接从身体的
内部感觉知道的。遍身就是息到哪里都很
清楚。这个时候不要被一般的佛学骗住
了，把这个"知道"当成妄想，那你就完
了。要四大皆空嘛！换句话说，你这个时
候是"明知"，不是"故犯"，随时要明白
知道。你们能这样修持下去，只要第一步、
第二步、第三步做到，你们身体精神永远

保持健康长寿，头脑是清楚的，事业就顺
利了。

　　知息入、知息出、知息长短，你把这
三个先实验好，你的知性是没有妄想哦！
如果达到第四知息遍身时，有了妄想，用
六祖的师兄神秀的偈子："身是菩提树，心
如明镜台，时时勤拂拭，莫使惹尘埃。"任
何妄想起来，都把它丢开，不要妨碍知性，
知性则存在。你一边做工夫，注意呼吸，

一边也知道自己妄想来了，你不要管那个
妄想，只管这个息。工夫做到知息遍身这
一步，你的变化，用道家讲的四个字"祛
病延年"，一切病都好了。你要知息遍身，
晓得息到达每一个细胞，就比较可以长寿，
慢一点老。至少我现在在桌子上也打坐给
你们看，我没有认真做，我还可以动作很
快做给你们看。为什么我这个年龄还这么
轻便呢？知息遍身。不像你们，看起来比

我还老。到知息遍身这个境界，就是道家
的"三花聚顶，五气朝元"了。

　　五是"除诸身行"，身上气充满，身体
都变化了，变空灵了，整个身体柔软了，
内部五脏六腑统统变了。拿现在西医讲的
话，中枢神经的系统变了，连带前面道家
叫任脉的自律神经系统都变了。比如自己
晓得肝不好的，那个时候肝也好了。胃不
好的，胃也好了。或者女性乳房像有乳瘤

一样，慢慢就化了，自己晓得化了。乃至于说五六十岁的女人，更年期过了，忽然胸部又膨胀起来，同少女一样充满了。我们座中有人耶，都到了，每个细胞都转变了，她不告诉大家，自己知道而已。

到达除诸身行这个时候，修密宗的三脉七轮的气脉打通了，生活习惯已经变了，就是你们听惯了的一句话，"精满不思淫"，男女的淫欲观念没有了，没有压力了，不

喜欢了，当然勉强可以。这时的男女有性
关系时，等于《楞严经》上讲的"于横陈
时，味同嚼蜡"。佛把做爱两个字非常文学
地形容为"横陈"，做爱像两个人运动，做
瑜珈一样，没有性欲的观念了；"味同嚼
蜡"，没有什么味道了。

受喜受乐到初禅

六、"受喜"，可是还没有受乐。乐从

脑起，每一个细胞，都很"爽快"，舒服极
了。为什么不是喜受、乐受呢？受是受阴，
特别着重于感觉、触受，得喜、得乐，你
普通打坐偶然有一下，不要把普通打坐的
喜乐触受，当成那个受喜境界，那还远得
很呢，程度差别太大了。

　　七、"受乐"，进入初禅就受喜及"受
乐"了。初禅是什么呢？正式的禅定来了，
昨天讲过，"心一境性，离生喜乐"。这个

时候你杂念一切清净了。"离"这个字有
两个意义，第一个意义，这时才晓得我的
知性跟身体感受是分开的，气息和四大也
可以分开。第二个意义，才晓得这个时候，
如果我这一口气不来死掉了，马上可以
跳出来，到另外一个生命境界。所以佛经
形容这个生命，自己这个灵魂离开身体如
"鸟之出笼"，舒服得很。就像关在笼中的
鸟被放出来了，超越肉体物质的障碍。所

以说是"离生喜乐"，喜是心理的，乐是四大变化，这就接近了初禅。

如果你修到初禅，配合上心理，你的脾气、个性、毛病都改变了，就是现在走了，会生色界初禅天，那不是其他宗教讲天堂的天，比那个高多了。初禅天是色界天，已经跳出了欲界，欲界众生都有性欲的关系，色界没有欲了，一切的欲望都清净了。

这里头有一个问题，你说到了初禅天，

像这个时候叫得定了，进入初禅了，还是第一步哦！那前面的工夫难道都不是禅定吗？那是什么呢？前面也是得定，叫什么定？有三四个名称。我们普通打坐是"欲界定"，是欲界的五趣（天、人、畜生、饿鬼、地狱）都可以做到的，偶然静一下很舒服。还有"未到定"，还达不到定的一种境界。有些是"中间定"，好像不动，又好像动，属于中间的。还有"近似定"，接近

相似了。所以你们打坐修行也在修定，没
有错。真到了除诸身行，离生喜乐，受喜、
受乐的时候才进入初禅。不过，静定来了
仍是小乘的定境，再配合《俱舍论》心理
行为转变，思想转变，智慧都打开了，也
许这一生就可以证到罗汉果，也许哦！

心念的境界

　　八、"受诸心行"，前面到除诸身行，

这五步统统在气脉里转，对不对？受诸心行这里转了，转到心的境界了，懂了没有？跟身体四大关系少了，跟地水火风的关系变了，感觉感受不同了。受诸心行是由初禅进到二禅境界，由"离生喜乐"初禅，到第二禅"定生喜乐"这个心念境界。当你达到受诸心行时，就不同了，感受到二禅的定生喜乐。

　　九、"心作喜"，前面不是受喜受乐吗？

这里的这个喜同那个喜不同吗？不同。前面那个受喜受乐还带有物质的、感觉的状态；这个是心境的状态，境界完全不同。为什么叫心作喜呢？是心意识在作意，唯识叫做作意，就是"定生喜乐"了，所以心作喜。

十、"心作摄"，心作喜还容易懂，心作摄就难懂了，尽虚空大地归之于一。经典上讲，一毛端可以容纳大海，心细如发，一念万年，万年一念，都是心的境界。经典上也讲"放之则弥六合，卷之则退藏于密"，看不见了。也就是芥子纳须弥，须弥纳芥子。心作摄，定生喜乐，进入二禅。

十一、"心作解脱"，这个时候就真的解脱了，一切烦恼根根清净了，二禅进到了三禅。心作解脱是证到三禅境界。

现在讲十六特胜，过了一大半了，初禅、二禅、三禅，快到四禅舍念清净了。心作喜，心作摄，心作解脱，修行的五个程序：戒、定、慧、解脱、解脱知见。由修戒作人开始，修定修慧，得解脱，解脱欲界的束缚了。共产党把解脱改一改叫"解放"，修行到真解脱，真解放了，也真见到自性得到大自由、大自在了。不过，解脱以后还要解脱知见。

观无常 观出散

你们注意知息入、知息出、知息长短、

知息遍身四个，然后就不管知不知了。"知"
当然仍在那里，它没有动过啊。除诸身行
以后受喜、受乐、受诸心行，没有知不知
了，走到心行路线去了，对不对？再进一
层心作喜，完全在心了，不管身了。再下
去心作摄、心作解脱，清清楚楚都告诉你，
到禅定境界，就是心了。佛法不是分"心、
意、识"三层吗？前面第六识属于心，第
六意识分别思想的根根在第七识的意，识

就是第八识。

十二、"观无常"，也不是知，也不是心，也不是身，都不是。观无常，观一切无常，观慧，完全是智慧的境界。后面这几个观无常、观出散、观离欲、观灭尽、观弃舍，并不是到后面才用哦；有智慧的人，一开始知息入、知息出，已经观无常、观出散了。尤其更要注意的是，知道息出入，息不要抓回来，安那般那那一进一出

是生灭法，我们的念也不要抓回。一切众
生习性都要抓。有人挨了我一顿骂，还坐
得好好的，你说是他划得来，还是我划得
来？这些现象境界还有没有？都过了，诸
法无常，不永恒，都在变化。我们大家由
婴儿，到现在都五六十岁了，有做婆婆妈
妈的，做奶奶公公的，每个都无常。世间
一切无常，修行打坐也无常，刚才坐得好
好的，都没有了。如梦如幻都过去了，所

以是"观无常"。

　　修行的方法不过是一根拐杖，不要被拐杖困住了，坐轮椅不要被轮椅困住了，诸法无常，观无常。所以从安那般那开始，出入息一进一出是无常嘛！佛告诉你这个世界一切皆无常，一切皆苦，一切是空的，一切是无我的。无常、空、无我是三法印，学佛的基本。你用这个方法修行，不要被方法困住了。否则就把无常当成有常了，那就错了。所以不是到十二步才开始观，是你一开始入手就在观无常了。慧跟定配合来修，要有这个智慧再来谈学佛，再来讨论。

十三、"观出散"，有人被气困住了，就观出散，把平常的一切不适丢开，放之于虚空。不管气到哪里，你有个气，就被困住了，没有观无常，没有智慧去破它，没有观出散。你身体有病，乃至衰老，要死，用观出散都把它散出去，丢开了，一切皆空，死也空嘛，老也空，病也是空，出散。所以佛有一个偈子，吩咐修行的，"诸行无常"，一切作为、一切行为，不是永恒的，都是无常，都会变去的。"诸行无常，是生灭法"，一来一往，呼吸一样，一进一出都是生灭法。"生灭灭已，寂灭为乐"，不呼不吸绝对的清净，呼吸也静止了，寂灭为乐。有智慧的人一看这个

偈子，工夫也到了，理也到了，还讨论个
什么啊！还有讨论就已经在生灭中了。不
生不灭，不来不去，所以叫你观无常，这
是慧观，不是眼睛去看，是智慧解脱，观
出散。

观离欲　观灭尽　观弃舍

　　十四、"观离欲"，跳出欲界，这个世
界都是自己的贪瞋痴欲望，一切都解脱了，

什么都没有，观无常，观出散，观离欲。
其实你做官做生意也是这个道理，应该赚
的赚，赚来是属于你的；不应该赚的，赚
了一千亿、几万亿又怎么样？最后还是别
人的。所以我说庙港这个禅堂将来谁用？
有缘的去用，谁知道！"诸行无常，是生灭
法，生灭灭已，寂灭为乐"，你应该做的做
了，观无常，观出散，观离欲。

　　十五、"观灭尽"，什么是灭尽啊？注

意哦！什么都没有了，灭哪两样呢？灭受，
灭想。受想两个灭掉了，没有了，思想清
净了，没有杂念妄想，没有什么讨论，没
有分别了，也没有感觉了，知觉也空了，
寂灭清净。大阿罗汉进入灭尽定，是九次
第定的最后一个定，绝对清净涅槃。不管
密宗也好，禅宗也好，什么宗也好，到这
里证得灭尽定，得阿罗汉果位。万法一切
皆是空的，都没有用。灭尽，拿什么灭？

由你知性开始到智慧成就，灭了一切妄想，灭了一切知觉感觉，都空了。观灭尽，得灭尽定，大阿罗汉果位得灭尽定是究竟了吗？没有。

十六、"观弃舍"，这是最后一个，还是要丢掉。得道，得什么道？没有道，连道也丢掉。我成佛了，谁成佛了？没有人成佛。自己认为有道、有学问、有成就，已经是狗屁了。最后观弃舍，一切放下。

分三组的十六特胜

前面的"知息入、知息出、知息长短、知息遍身、除诸身行"，我们假定这五个是一组，然后是"受喜、受乐、受诸心行、心作喜、心作摄、心作解脱"这六个又是一组。这都是言语、文字上这样表达，做起工夫来，一念之间连着的，没有这样分开。可是后面这五个"观无常、观出散、观离欲、观灭尽（受想皆灭）、观弃舍"，又是一组。

十六特胜前面五个一组，后面五个一组，中间六个一组。后面这一组没有讲唯物或唯心，没有讲与身体四大的关系，也没有讲与心念的关系，都没有提，而是单独成立。换句话说，你初步用功，开始腿一盘上座，呼吸进去"知息入"，你已经是"观无常"了，因为念念之间这个息是靠不住的，来去无常的。所以观无常、观出散、观离欲、观灭尽、观弃舍，这是智慧啦！
观是慧学。

　　中间的六个心法和前面的五个，属于
止观之学，偏重于止，由观得止是定学。
后面"观无常、观出散、观离欲、观灭尽、
观弃舍"这五个是慧学，由止而观。念念
之间随时有观；不是说"知息入、知息出"
还没有做到，后面这些观就都不管了，那
你就错了。修行第一步求"止"与"观"，

当下就是。所以把十六特胜这样分析清楚，大家就容易明白了。

　　为什么要你们修这个十六特胜，走这个路线，做这个工夫呢？因为不管你学佛、修道家，学任何法门，一切修行就是我常提的：见地（理解）、工夫（定）、行愿（作人做事），缺一不可。

第五节　与修法有关的事

十种一切入

瑜珈和密宗

境　行　果

再说气　止息　息

谁在退步

十种一切入

我们讲修安那般那，讲了六妙门的方法，还是很粗浅的一步；也讲了重要的十六特胜法门，但是佛经有一个你必须要懂的，就是"十一切入"。关于这个十一切入，小乘说得很清楚，但是佛学家是讲理论的，对这些工夫方面的事并不注意。你

们讲修行，要修安那般那，必须要清楚了
解十一切入。千万不要念成"十一、切
入"，那就错了。十是有十个精神物理的功
能，心物一元的，一切处所，任何地方，
它都会透进去穿过来的，所以叫十一切入。
这是什么东西呢？就是青黄赤白，地水火
风空识。

　　青、黄、赤、白是色相。现在天黑了，
你离开讲堂看看天空，这个天空是什么颜

色？普通来讲，认为夜里是黑的，你错了，你没有科学的眼睛，不懂光学。夜里不是黑的啊！是青的，深青的，没有一个真正的黑存在，就是太空里的黑洞也是深青色。太空有没有黑洞？我几十年前就讲过，一定有，存在的。有些科学家不承认，我说我不是学科学的，别人看我讲话放屁一样，现在那个霍金一讲有，大家就说有了。

　　赤是红色的。这个里头要研究色了，你们大家在中学里读过，颜色分红、橙、黄、绿、蓝、靛、紫。紫到极深就变成青黑了。你注意哦！没有黑，没有白，怪吧！把所有东西集中在一起变黑了，变白了。黑白两个是另外哦！红色久了就变橙色，再变一变就变黄色，慢慢在变化，这是属于化学了。

　　所以十一切入，青黄赤白四种色，怎

么变出来的？是地、水、火、风、空五种
物理作用的变化。最后这个"识"，是心
理精神的，这个不属于物理的，这样懂了
吧！我们这些同学有的也讲哲学佛学的，
根本没有好好研究，也没有看经。普通上
佛学院，老实讲在学校里混一混，概论也
没有读完的，就算是懂得什么学，什么学
了。读书要很仔细才行啊。

　　这十种东西，只有十分之一是唯心的，

就是这个"识"。其他青、黄、赤、白、地、水、火、风、空，都是唯物的。

　　注意！这十种是一切入，你在这里打坐，你的身心内外，整个宇宙，一切都穿透进来了，都穿透你的身心，所以叫十种一切入。乃至钢板，乃至太空舱，什么都挡不住的，一切处都透入。譬如我们现在看到这个建筑有墙壁，你说挡得住吗？没有，地水火风空照样透过来。所以我们的身体为什么会衰老？是受物理的侵蚀变化，都透进来了。甚至你在这里打坐，做起工夫来有境界，都是在受这个物理的影响干扰。

　　所以我特别提出来重点，由修安那般那法门，叫你先认识十种一切入，了解有关生理的、物理的影响，以及对修十六特胜的影响。因为十六特胜是很重要的，最容易得定的法门，所以这些都是特别须要注意的。实际上知息入、知息出、知息长短、知息遍身到除诸身行时，身体的障碍是痠、痛、胀、麻、痒等等，这是生理上四大变化而来的。如果这些问题都没有了，是因为你安静了，用《大学》里的话就是达到这个"知止而后有定，定而后能静，静而后能安，安而后能虑"的境界。这是偏重于身体方面四大或五大（地水火风空）的变化来说的。

瑜珈和密宗

前面说过，佛的呼吸法门发展演变有秘密的修法，印度瑜珈也是一种修法，在初步开始修行都有关系。

讲到呼吸，你看我们花好多钱，好几次请印度的师父来教你们瑜珈、呼吸法，你们也不好好学，教你们洗鼻子也没有洗，教你们洗喉咙也没有洗。你认为都是不必要的，只要学佛就好了。什么是佛法啊？

这些都是佛法耶！都是学佛修持的方法，所以叫做"佛法"。花了钱，请了外国的瑜珈大师来教你，为什么自己不教？因为"外来的和尚会念经"。

瑜珈修法每天要清洁九窍：脸上七个洞，下面大小便两个洞，都要清理的。譬如大家住在都市，空气污染，每天都要清洗鼻孔。学瑜珈不但洗鼻孔，同时还要洗脑。有些同学跟着我学到了，有些同学不敢试。用完全干净的冷水，鼻子吸进来，嘴巴噗！喷出去。洗脑、洗鼻子，要很干净的水。开始一两次你觉得脑很痛，实际上脑神经很多脏东西，三四次以后舒服得很。这是洗鼻子，洗脑的方法。甚至后来练好成为硬工夫了，也可以用牛奶洗，喝下去，一股气从鼻子里冲出来，但是一般不用牛奶，用清水。

　　到了西藏，密宗把十六特胜变成修

气、修脉、修明点、修拙火。不管你哪一个，真修密宗的话，修气、修脉、修明点、修拙火，修成功了，最后走的时候，这个肉体变成虹光之身，化成一道光就没有了，整个肉体不必火化的。譬如我们这个时代，五十年前在西藏，还有两个喇嘛是这样化成光走的，这是在西藏带兵的队长亲自看到的。这就是修气、修脉、修明点、修拙火的成就。

　　密宗修气的方法和十六特胜出入息，其实是一样的，像我们在西藏和黄教、红教、花教、白教都接触过的，所以才了解。因为白教的贡噶师父，我们还交换过很多资料、方法，晓得这一套理论是印度的瑜珈，被密宗采用了；不过现在很多都不存在了，因此修密宗的行者，要修到这样的工夫是很难做到的。

境　行　果

譬如你进禅堂打坐修安般法门，不过是开始练习，要修到行住坐卧都在这个境界里，那是光明清净的，这才达到学佛的境界，而你每天的境、行、果如何，也都是很明显的。今天再补充昨天晚上讲的，我提出来境、行、果，对学密宗，学禅，学一切法门都是很重要的。过去上课没有讲，因为是白讲，今天正式在禅堂里修"十六特胜"，所以就叫你们注意了。做一分的工夫有一分的收获，做两分的工夫有两分的收获，一步一步都有它的境、行、果。

其实这三个字岂止是修行，我们读书也好，写字也好，求学也好，做任何工夫也好，都有它的境、行、果。但是这三个字用之世间法上，并不妥当；因为真正的境、行、果是实证的、实修的，所以十六特胜是要实证实修。实修实证以后，你的气质会改变，使你的身体，不会常在病中，至少是减轻病痛。自己晓得业力很重，业病那么重，解脱不了，就要忏悔；所以先要你修准提法，念咒子，先修忏悔，先培养功德等等。

如果修行没有境界我们修个什么呢？你写毛笔字也好，读书也好，每天有进步，那就是一个境界！如果连境界是什么都认不清楚，怎么行呢！注意哦！境界的道理不是空洞的理论，其实讲哲学的道理，空洞的理论也有个境界。譬如我们讲到看电影，演得好演得坏，动作、神气有个境界的，你用不用功都是有境界的。所以千万要注意"境、行、果"。

学佛那么多年，打坐那么久，境也没有，工夫也没有，境、行、果什么都谈不上，那是没有用的。

　　譬如《达摩禅经》中，十六特胜里有一段，我曾经告诉你们说，这一段等你们到了那个境界，我再告诉你们。乃至他们几个出家的，我都这样对他们讲。这一段我不讲的原因是因为你们没有这个境界。譬如修止修定，修安那般那，到"除诸身行"的时候，《达摩禅经》告诉你一句话"流光参然下"，你身心和法界的光明合一了，那是境界，必定的境界。那时你坐在这里一身内外是光，是哪一种光呢？这问题深得很，那太多了，佛经上描述青色青光，黄色黄光……那是你的功力了。

　　譬如今天某人告诉我，他今天很进步啊，好像什么都懂了。我听了只"哦"了一声，希望他进步，但我知道他的程度，他真的会这么快的超越吗？譬如知息遍身，全身呼吸自由；还有除诸身行，也都是有它的境界的。

　　什么是境界？譬如你呼吸进来，念头专一了，像有人今天感觉有点进步，他说：我今天做到每个呼吸进来出去我都清楚。这是他今天的境界。我说：你这个才是进步。因为他平常都是在忙，思想散乱，他真专一了，那就是他的境界，他自己会有感觉的。到你工夫深了，譬如知息入，你觉得自己呼吸跟天地虚空相往来，自己觉得吸进来直到脚底心，到头顶。也就是孟子讲的"我善养吾浩然之气"，和庄子讲的"与天地精神往来"，这都不是空话，都是有它的境界的。

譬如讲修行，你真做到除诸身行以后，心作喜、心作摄，十六特胜只要达到止、观这个境界，你自己就能感觉到自己身体内部和外界的光明合一，一片光明，是真的有这个境界，不是没有境界。没有境界修行干什么？譬如你们在这里打坐，盘腿半

个钟头，舒服啊，痛啊，就有感觉嘛！这
个就是你的境界，境界一定来的。或者觉
得身上舒服多了，舒服也是个境界，痛苦
也是个境界。痠、痛、胀、麻、痒也都是
境界，你一定有感受的境界。

　　你们研究《达摩禅经》的，曾来问过
这一段，我当时说：以后再说。所以今天
才告诉你，不是不把秘密告诉你，是因为
你们统统没有到，没有经验过。这就是工

夫，就是境了，真正的境"流光参然下"，在密宗叫做"灌顶"，这个时候是佛菩萨真正给你灌顶下来，从上面的虚空整个灌下来，好像淋浴从顶上淋下来一样，清凉自在，这就是境、行、果。所以修行要注意"境"、"行"，跟你的工夫配合，最后证"果"。所以修道最后证罗汉果、菩萨果，直到成佛，绝对不是空洞的。

再说气　止息　息

佛告诉你，修安那般那首先要认识生命的气，大原则分三种："长养气、报身气、根本气"。

第一种长养气，这是中文的翻译，就是使人活着、成长，就像是植物的肥料、动物的饮食一样，保养你，使你身体有生命的新陈代谢。"新陈代谢"四个字，就是安那般那；死亡的细胞从毛孔排出去了，新的细胞生长，其实就是安那般那；这属于长养气，我们的一呼一吸就属于长养气。

关于长养气，这是个大科学，长养气里头又分四层：风、喘、气、息。

先讲"风"，风是基本的原则，中国讲风就是气流的气，在人体内变成呼吸了。人的呼吸是第一位的，所以风是第一位。

一般呼吸叫"喘"，喘气的喘，有一种呼吸道不好的病叫哮喘病。一般人身体都不健康，也有轻微的哮喘，呼吸只到喉咙，或到肺的表层为止。呼吸有声音的，尤其睡眠的时候，感冒鼻塞时，那个声音更粗了，这属于喘。喘是外风和身体内部的风，互相矛盾阻碍，互相争斗，为了打通气的管道而发生的。

　　这是讲长养气的阶段，喘属于风大的作用。长养气是生命的功能，同地球的大气层连带的。所以，假使超过高空，在大气层以外，这个气就变化了，那个是真空，所以太空人要受训练的。假使不带氧气到太空，超过大气层外面，只有得了四禅定的人也许没有关系，也许哦！因为不需要长养气了。

长养气的第三步是"气"，气的阶段不喘了，譬如修定的人，静坐坐得好，好像感觉鼻子没有呼吸，或很慢很轻微来往，这个是属于气。所以修持方面讲的气，不是普通空气的气。中国古代是这个"炁"，

"无"字下面四点，无火之谓炁，好像没有作用，可是还有往来，很久很慢，偶然有一下往来的作用，似乎没有感受；没有风，没有喘，那个叫气。

再进一步就是"息"，这个息是很微细的进出往来，气都没有了，身体内部的障碍统统没有了，痠痛胀麻痒等等感受也一点都没有了，完全宁静，好像一点呼吸都没有，而是息遍满全身。然后感觉每个细胞乃至九窍——头上七窍，加上大小便的二窍，全身每个细胞，自然都是往来充满，好像跟大气、虚空相通了，那个就是息的境界。这个我从来没讲过，因为众生愚昧，说了也不懂。

我们普通人到什么时候才知道呼吸呢？在枕头上，想睡还没有睡着，听到了自己的呼吸。在这个时候，越听到自己呼吸，越睡不着，失眠的人听呼吸最清楚，平常听不清楚，毛孔的呼吸就更不用讲了。

　　再说止息，有很明显的例子，看东西很注意时，呼吸就轻微了，会停止，因为注意力集中了。还有，很害怕的时候，或者碰到很高兴的事时，那一刹那，呼吸会停止。为什么停止？因为你思想专一了，这是止息的道理。

　　所以，当一个人的精神思想专注某一点时，呼吸自然和思想结合在一起，这叫专一精神。一个科学家思考某个问题时，或者一个文学家写一篇文章时，在集中思考的时候，呼吸差不多都停止了。

懂了这个原理，那你修行时，把思想念头完全放空灵，这时呼吸慢慢充满，它自己自然停止了，这个叫做止息。

谁在退步

由安那般那知息入起，一共十六条，

一条一条告诉你这个特胜法门，修行只有
这一条路最好，什么禅啊，密啊，统统推
翻了，就是这一条路，是佛讲的一条成功
的法门。所以《达摩禅经》非常辛苦地告
诉你这一条路，然后更要注意，他讲这个
法门以前，讲到修行人最容易退，天天讲
发心修行，天天退步。走一步退三步，就
算不退也会减，就是退得慢一点；比较好
的是停住不进步，这就是退、减、住。

《达摩禅经》先讲了几十个情况，粗略的讲有三四十个，仔细分析的话，每个情况都是退。你觉得自己在修行用功，其实你天天在退步；不退步当然就是进步。所以《达摩禅经》很难搞懂，这就是秘密的法门，退、减、住，住就是停留。不要停留，要升进，向前进。到最后灭尽定还要舍弃，才能证到一切皆空，真达到空的境界，才是见到空性。

　　大家把六妙门到十六特胜的修法，先要仔细地记住，要自己一步一步去实验、去推进，这是非常重要的，这不是讨论问题。记住"诸行无常，是生灭法，生灭灭已，寂灭为乐"。

　　再者，有些着相的人修得几乎成了精神病，说打坐看到光，看到神像，看到佛啊，看到鬼啊、神啊，尽说那些神话鬼话的人，自己不知道那只是心理物理的作用罢了。

《达摩禅经》上说"安般者二种"，我现在浓缩跟你们讲，《达摩禅经》讲到修行容易退转，一般人开始很愿意修行，慢慢都退了，有三四十种退，实际上还不止。譬如你们这几天在这里看起来很精进，只要上了车回去以后，已经退了。像我这样努力勤劳的人还没有耶！一般人不会干的。

　　如果真心修行，还是要时时刻刻努力，时时刻刻地反省检讨，更要切实认真求证，才不辜负自己的发心。

图书在版编目(CIP)数据

南师所讲呼吸法门精要/刘雨虹汇编. —上海:上
海书店出版社,2013.8(2023.1重印)
ISBN 978-7-5458-0766-0

Ⅰ.①南… Ⅱ.①刘… Ⅲ.①南怀瑾(1918~2012)
-佛教-思想评论 Ⅳ.①B262.5②B948

中国版本图书馆 CIP 数据核字(2013)第 164678 号

责任编辑 杨柏伟
装帧设计 王晓阳

南师所讲呼吸法门精要

刘雨虹 汇编

上海书店出版社出版
(201101 上海市闵行区号景路159弄C座)
上海人民出版社发行中心发行
上海展强印刷有限公司印刷
开本 787×1092 1/32 印张 6.5 字数 50,000
2013 年 8 月第 1 版 2023 年 1 月第 19 次印刷
印数 158401—169400
ISBN 978-7-5458-0766-0/B·47
定价 26.00 元